Fables de
Jean de La Fontaine

Mises en images par

Gabriel Lefebvre

LA RENAISSANCE DU LIVRE
Michel De Pauw Éditeur

Édition réalisée sous la direction de Marie Duchaussoy.
Maquette : Marie Meunier.

© 2001, **La Renaissance du Livre.**
52, chaussée de Roubaix, 7500 Tournai (Belgique).
ISBN : 2-8046-0530-2

Fables de
Jean de La Fontaine

Mises en images par

Gabriel Lefebvre

LA RENAISSANCE DU LIVRE

Sommaire

La cigale et la fourmi

La cigale, ayant chanté tout l'été,

Se trouva fort dépourvue

Quand la bise fut venue.

Pas un seul petit morceau

De mouche ou de vermisseau.

Elle alla crier famine

Chez la fourmi sa voisine,

La priant de lui prêter

Quelque grain pour subsister

Jusqu'à la saison nouvelle.

Je vous paierai, lui dit-elle,

Avant l'oût*, foi d'animal,

Intérêt et principal.

La fourmi n'est pas prêteuse ;

C'est là son moindre défaut.

Que faisiez-vous au temps chaud ?

Dit-elle à cette emprunteuse.

– Nuit et jour à tout venant

Je chantais, ne vous déplaise.

– Vous chantiez ? J'en suis fort aise.

Eh bien ! dansez maintenant.

---

* *L'oût, par contraction d'août, se disait alors pour la moisson, qui se fait dans ce mois. On disait même un aousteron pour un moissonneur.*

Le corbeau et le renard

Maître corbeau, sur un arbre perché,

Tenait en son bec un fromage.

Maître renard, par l'odeur alléché,

Lui tint à peu près ce langage :

Eh ! Bonjour, Monsieur du Corbeau.

Que vous êtes joli ! Que vous me semblez beau !

Sans mentir, si votre ramage

Se rapporte à votre plumage,

Vous êtes le phénix des hôtes de ces bois.

À ces mots, le corbeau ne se sent pas de joie ;

Et pour montrer sa belle voix,

Il ouvre un large bec, laisse tomber sa proie.

Le renard s'en saisit et dit :

Mon bon Monsieur,

Apprenez que tout flatteur

Vit aux dépens de celui qui l'écoute.

Cette leçon vaut bien un fromage sans doute.

Le corbeau honteux et confus,

Jura, mais un peu tard, qu'on ne l'y prendrait plus.

La grenouille qui se veut faire aussi grosse que le bœuf

Une grenouille vit un bœuf

Qui lui sembla de belle taille.

Elle qui n'était pas grosse en tout comme un œuf,

Envieuse, s'étend, et s'enfle, et se travaille

Pour égaler l'animal en grosseur ;

Disant : *Regardez bien, ma sœur ;*

Est-ce assez ? Dites-moi ; n'y suis-je point encore ?

– Nenni. – M'y voici donc ? – Point du tout !

– M'y voilà ?

– Vous n'en approchez point. La chétive pécore

S'enfla si bien qu'elle en creva.

Le monde est plein de gens qui ne sont pas plus sages :

Tout bourgeois veut bâtir comme les

grands seigneurs ;

Tout petit prince a des ambassadeurs ;

Tout marquis veut avoir des pages.

Le loup et le chien

Un loup n'avait que les os et la peau,

Tant les chiens faisaient bonne garde.

Ce loup rencontre un dogue aussi puissant que beau,

Gras, poli*, qui s'était fourvoyé par mégarde.

L'attaquer, le mettre en quartiers,

Sire loup l'eût fait volontiers.

Mais il fallait livrer bataille ;

Et le mâtin était de taille

À se défendre hardiment.

Le loup donc l'aborde humblement,

Entre en propos, et lui fait compliment

Sur son embonpoint, qu'il admire.

Il ne tiendra qu'à vous, beau sire,

D'être aussi gras que moi, lui repartit le chien.

Quittez les bois, vous ferez bien :

Vos pareils y sont misérables,

Cancres, hères, et pauvres diables,

Dont la condition est de mourir de faim.

Car quoi ? Rien d'assuré ! Point de franche lippée !

Tout à la pointe de l'épée !

---

* *Poli pour luisant, état du poil chez les chiens bien portants.*

Suivez-moi : vous aurez un bien meilleur destin.

Le loup reprit : Que me faudra-t-il faire ?

– Presque rien, dit le chien, donner la chasse aux gens

Portant bâtons, et mendiants ;

Flatter ceux du logis, à son maître complaire ;

Moyennant quoi votre salaire

Sera force reliefs** de toutes les façons :

Os de poulets, os de pigeons ;

Sans parler de mainte caresse.

Le loup déjà se forge une félicité

Qui le fait pleurer de tendresse.

** Restes de repas.

Chemin faisant, il vit le col du chien pelé.

Qu'est-ce là ? lui dit-il. – *Rien.*

– *Quoi, rien ? – Peu de chose.*

– *Mais encor ? – Le collier dont je suis attaché*

De ce que vous voyez est peut-être la cause.

– *Attaché ?* dit le loup ; *vous ne courez donc pas*

Où vous voulez ? – Pas toujours, mais qu'importe ?

– *Il importe si bien que de tous vos repas*

Je ne veux en aucune sorte,

Et ne voudrais pas même à ce prix un trésor.

Cela dit, maître loup s'enfuit, et court encor.

Le rat de ville et le rat des champs

Autrefois le rat de ville
Invita le rat des champs,
D'une façon fort civile,
À des reliefs d'ortolans.

Sur un tapis de Turquie
Le couvert se trouva mis.
Je laisse à penser la vie
Que firent ces deux amis.

Le régal fut fort honnête,
Rien ne manquait au festin ;
Mais quelqu'un troubla la fête
Pendant qu'ils étaient en train.

À la porte de la salle
Ils entendirent du bruit.
La rat de ville détale,
Son camarade le suit.

Le bruit cesse, on se retire :
Rats en campagne aussitôt ;
Et le citadin de dire :
Achevons tout notre rôt.

– C'est assez, dit le rustique.
Demain vous viendrez chez moi :
Ce n'est pas que je me pique
De tous vos festins de roi ;

Mais rien ne vient m'interrompre.
Je mange tout à loisir.
Adieu donc, fi du plaisir
Que la crainte peut corrompre !

Le loup et l'agneau

La raison du plus fort est toujours la meilleure,
Nous l'allons montrer tout à l'heure.

Un agneau se désaltérait
Dans le courant d'une onde pure.
Un loup survient à jeun, qui cherchait aventure,
Et que la faim en ces lieux attirait.
Qui te rend si hardi de troubler mon breuvage ?
Dit cet animal plein de rage :
Tu seras châtié de ta témérité.
– Sire, répond l'agneau, *que votre majesté*
Ne se mette pas en colère ;
Mais plutôt qu'elle considère
Que je me vas désaltérant
Dans le courant,
Plus de vingt pas au-dessous d'elle,
Et que par conséquent en aucune façon
Je ne puis troubler sa boisson.

– *Tu la troubles !* reprit cette bête cruelle,

Et je sais que de moi tu médis l'an passé.

– *Comment l'aurais-je fait, si je n'étais pas né ?*

Reprit l'agneau, *je tette encor ma mère.*

– *Si ce n'est toi, c'est donc ton frère.*

– *Je n'en ai point.* – *C'est donc quelqu'un des tiens :*

Car vous ne m'épargnez guère,

Vous, vos bergers et vos chiens.

On me l'a dit : il faut que je me venge.

Là-dessus, au fond des forêts

Le loup l'emporte, et puis le mange,

Sans autre forme de procès.

Les voleurs et l'âne

Pour un âne enlevé deux voleurs se battaient :
L'un voulait le garder ; l'autre le voulait vendre.
Tandis que coups de poing trottaient,
Et que nos champions songeaient à se défendre,
Arrive un troisième larron,
Qui saisit maître Aliboron*.

L'âne, c'est quelquefois une pauvre province.
Les voleurs sont tel et tel prince,
Comme le Transylvain, le Turc et le Hongrois :
Au lieu de deux j'en ai rencontré trois.
Il est assez de cette marchandise.
De nul d'eux n'est souvent la province conquise ;
Un quart** voleur survient qui les accorde net,
En se saisissant du baudet.

* *Maître Aliboron, expression utilisée autrefois pour désigner un âne,
  ou un ignorant. Rabelais appelle un avocat maître Aliborum.*
** *Pour quatrième.*

La mort et le bûcheron

Un pauvre bûcheron, tout couvert de ramée,
Sous le faix du fagot aussi bien que des ans
Gémissant et courbé marchait à pas pesants,
Et tâchait de gagner sa chaumine en fumée.
Enfin, n'en pouvant plus d'effort et de douleur,
Il met bas son fagot, il songe à son malheur.
Quel plaisir a-t-il eu depuis qu'il est au monde ?
En est-il un plus pauvre en la machine ronde ?
Point de pain quelquefois, et jamais de repos.
Sa femme, ses enfants, les soldats, les impôts
Le créancier et la corvée,
Lui font d'un malheureux la peinture achevée.
Il appelle la mort ; elle vient sans tarder,
Lui demande ce qu'il faut faire.
C'est, dit-il, *afin de m'aider*
À recharger ce bois ; tu ne tarderas guère.

Le trépas vient tout guérir ;
Mais ne bougeons d'où nous sommes.
Plutôt souffrir que mourir,
C'est la devise des hommes.

Le renard et la cigogne

Compère le renard se mit un jour en frais,

Et retint à dîner commère la cigogne.

Le régal fut petit et sans beaucoup d'apprêts ;

Le galant pour toute besogne

Avait un brouet clair (il vivait chichement).

Ce brouet fut par lui servi sur une assiette :

La cigogne au long bec n'en put attraper miette ;

Et le drôle eut lapé le tout en un moment.

Pour se venger de cette tromperie,

À quelque temps de là, la cigogne le prie.

Volontiers, lui dit-il, *car avec mes amis*

Je ne fais point cérémonie.

À l'heure dite, il courut au logis

De la cigogne son hôtesse,

Loua très fort la politesse,

Trouva le dîner cuit à point.

Bon appétit, surtout ; renards n'en manquent point.

Il se réjouissait à l'odeur de la viande

Mise en menus morceaux, et qu'il croyait friande.

On servit, pour l'embarrasser,

En un vase à long col et d'étroite embouchure.

Le bec de la cigogne y pouvait bien passer,

Mais le museau du sire était d'autre mesure.

Il lui fallut à jeun retourner au logis,

Honteux comme un renard qu'une poule aurait pris,

Serrant la queue, et portant bas l'oreille.

Trompeurs, c'est pour vous que j'écris,
Attendez-vous à la pareille.

Le coq et la perle

Un jour un coq détourna
Une perle qu'il donna
Au beau premier lapidaire.
Je la crois fine, dit-il,
Mais le moindre grain de mil
Serait bien mieux mon affaire.

Un ignorant hérita
D'un manuscrit qu'il porta
Chez son voisin le libraire.
Je crois, dit-il, *qu'il est bon ;*
Mais le moindre ducaton
Serait bien mieux mon affaire.

Le chêne et le roseau

Le chêne un jour dit au roseau :
Vous avez bien sujet d'accuser la nature :
Un roitelet pour vous est un pesant fardeau.
Le moindre vent qui d'aventure
Fait rider la face de l'eau
Vous oblige à baisser la tête :
Cependant que mon front, au Caucase pareil,
Non content d'arrêter les rayons du soleil,
Brave l'effort de la tempête.
Tout vous est aquilon, tout me semble zéphyr.
Encor si vous naissiez à l'abri du feuillage
Dont je couvre le voisinage,
Vous n'auriez pas tant à souffrir,
Je vous défendrais de l'orage.
Mais vous naissez le plus souvent
Sur les humides bords des royaumes du vent.
La nature envers vous me semble bien injuste.

– Votre compassion, lui répondit l'arbuste,

Part d'un bon naturel ; mais quittez ce souci.

Les vents me sont moins qu'à vous redoutables.

Je plie, et ne romps pas. Vous avez jusqu'ici

Contre leurs coups épouvantables

Résisté sans courber le dos ;

Mais attendons la fin. Comme il disait ces mots,

Du bout de l'horizon accourt avec furie

Le plus terrible des enfants

Que le Nord eût portés jusque-là dans ses flancs.

L'arbre tient bon, le roseau plie ;

Le vent redouble ses efforts,

Et fait si bien qu'il déracine

Celui de qui la tête au ciel était voisine,

Et dont les pieds touchaient à l'empire des morts.

Le lion et le moucheron

Va-t'en, chétif insecte, excrément de la terre !
C'est en ces mots que le lion
Parlait un jour au moucheron.
L'autre lui déclara la guerre.
Penses-tu, lui dit-il, *que ton titre de roi*
Me fasse peur, ni me soucie ?
Un bœuf est plus puissant que toi,
Je le mène à ma fantaisie.
À peine il achevait ces mots
Que lui-même il sonna la charge,
Fut le trompette et le héros.
Dans l'abord il se met au large ;
Puis prend son temps, fond sur le cou
Du lion, qu'il rend presque fou.
Le quadrupède écume, et son œil étincelle ;
Il rugit, on se cache, on tremble à l'environ ;
Et cette alarme universelle
Est l'ouvrage d'un moucheron.

Un avorton de mouche en cent lieux le harcèle,
Tantôt pique l'échine et tantôt le museau,
Tantôt entre au fond du naseau.
La rage alors se trouve à son faîte montée.
L'invisible ennemi triomphe, et rit de voir
Qu'il n'est griffe ni dent en la bête irritée
Qui de la mettre en sang ne fasse son devoir.
Le malheureux lion se déchire lui-même,
Fait résonner sa queue à l'entour de ses flancs,
Bat l'air, qui n'en peut mais ; et sa fureur extrême
Le fatigue, l'abat ; le voilà sur les dents.
L'insecte du combat se retire avec gloire :
Comme il sonna la charge, il sonne la victoire,
Va partout l'annoncer, et rencontre en chemin
L'embuscade d'une araignée :
Il y rencontre aussi sa fin.

Quelle chose par là nous peut être enseignée ?
J'en vois deux, dont l'une est qu'entre nos ennemis,
Les plus à craindre sont souvent les plus petits ;
L'autre qu'aux grands périls tel a pu se soustraire
Qui périt pour la moindre affaire.

Le lion et le rat

Il faut, autant qu'on peut, obliger tout le monde :
On a souvent besoin d'un plus petit que soi.
De cette vérité deux fables* feront foi,
Tant la chose en preuves abonde.

Entre les pattes d'un lion
Un rat sortit de terre assez à l'étourdie.
Le roi des animaux, en cette occasion,
Montra ce qu'il était, et lui donna la vie.
Ce bienfait ne fut pas perdu.
Quelqu'un aurait-il jamais cru
Qu'un lion d'un rat eût affaire ?
Cependant il advint qu'au sortir des forêts
Ce lion fut pris dans des rets
Dont ses rugissements ne le purent défaire.
Sire rat accourut, et fit tant par ses dents
Qu'une maille rongée emporta tout l'ouvrage.

Patience et longueur de temps
Font plus que force ni que rage.

* La seconde fable, que nous ne reproduisons pas dans cette édition,
s'intitule "La colombe et la fourmi".

Le lièvre et les grenouilles

Un lièvre en son gîte songeait

(Car que faire en un gîte, à moins que l'on ne songe ?) ;

Dans un profond ennui ce lièvre se plongeait :

Cet animal est triste, et la crainte le ronge.

Les gens de naturel peureux

Sont, disait-il, *bien malheureux ;*

Ils ne sauraient manger morceau qui leur profite.

Jamais un plaisir pur, toujours assauts divers.

Voilà comme je vis : cette crainte maudite

M'empêche de dormir, sinon les yeux ouverts.

Corrigez-vous, dira quelque sage cervelle.

Eh ! La peur se corrige-t-elle ?

Je crois même qu'en bonne foi

Les hommes ont peur comme moi.

Ainsi raisonnait notre lièvre,

Et cependant faisait le guet.

Il était douteux, inquiet :

Un souffle, une ombre, un rien,

tout lui donnait la fièvre.

Le mélancolique animal,

En rêvant à cette matière,

Entend un léger bruit : ce lui fut un signal

Pour s'enfuir devers sa tanière.

Il s'en alla passer sur le bord d'un étang.

Grenouilles aussitôt de sauter dans les ondes ;

Grenouilles de rentrer en leurs grottes profondes.

Oh ! dit-il, j'en fais faire autant

Qu'on m'en fait faire ! Ma présence

Effraie aussi les gens, je mets l'alarme au camp !

Et d'où me vient cette vaillance ?

Comment ! Des animaux qui tremblent devant moi !

Je suis donc un foudre de guerre ?

Il n'est, je le vois bien, si poltron sur la terre

Qui ne puisse trouver un plus poltron que soi.

Le paon se plaignant à Junon

Le paon se plaignait à Junon :
Déesse, disait-il, ce n'est pas sans raison
Que je me plains, que je murmure :
Le chant dont vous m'avez fait don
Déplaît à toute la nature ;
Au lieu qu'un rossignol, chétive créature,
Forme des sons aussi doux qu'éclatants,
Est lui seul l'honneur du printemps.
Junon répondit en colère :
Oiseau jaloux, et qui devrais te taire,
Est-ce à toi d'envier la voix du rossignol,
Toi que l'on voit porter à l'entour de ton col
Un arc-en-ciel nué de cent sortes de soies ;
Qui te parades, qui déploies
Une si riche queue, et qui semble à nos yeux
La boutique d'un lapidaire ?
Est-il quelque oiseau sous les cieux
Plus que toi capable de plaire ?
Tout animal n'a pas toutes propriétés.
Nous vous avons donné diverses qualités :
Les uns ont la grandeur et la force en partage ;
Le faucon est léger, l'aigle plein de courage ;
Le corbeau sert pour le présage ;
La corneille avertit des malheurs à venir ;
Tous sont contents de leur ramage,
Cesse donc de te plaindre, ou bien, pour te punir,
Je t'ôterai ton plumage.

Le renard et le bouc

Capitaine renard allait de compagnie

Avec son ami bouc des plus haut encornés.

Celui-ci ne voyait pas plus loin que son nez ;

L'autre était passé maître en fait de tromperie.

La soif les obligea de descendre en un puits.

Là chacun d'eux se désaltère.

Après qu'abondamment tous deux en eurent pris,

Le renard dit au bouc : *Que ferons-nous, compère ?*

Ce n'est pas tout de boire, il faut sortir d'ici.

Lève tes pieds en haut, et tes cornes aussi :

Mets-les contre le mur : le long de ton échine

Je grimperai premièrement ;

Puis sur tes cornes m'élevant,

À l'aide de cette machine.

De ce lieu-ci je sortirai.

– Par ma barbe, dit l'autre, *il est bon ; et je loue*

Les gens bien sensés comme toi ;

Je n'aurais jamais, quant à moi,

Trouvé ce secret, je l'avoue.

Le renard sort du puits, laisse son compagnon
Et vous lui fait un beau sermon
Pour l'exhorter à patience.
Si le Ciel t'eût, dit-il, *donné par excellence*
Autant de jugement que de barbe au menton,
Tu n'aurais pas à la légère
Descendu dans ce puits. Or adieu, j'en suis hors.
Tâche de t'en tirer, et fais tous tes efforts :
Car, pour moi, j'ai certaine affaire
Qui ne me permet pas d'arrêter en chemin.

En toute chose il faut considérer la fin.

Le loup et la cigogne

Les loups mangent gloutonnement.

Un loup donc, étant de frairie,

Se pressa, dit-on, tellement

Qu'il en pensa perdre la vie.

Un os lui demeura bien avant au gosier.

De bonheur pour ce loup, qui ne pouvait crier,

Près de là passe une cigogne.

Il lui fait signe, elle accourt.

Voilà l'opératrice aussitôt en besogne.

Elle retira l'os ; puis pour un si bon tour

Elle demanda son salaire.

Votre salaire ? dit le loup,

Vous riez, ma bonne commère.

Quoi ! Ce n'est pas encor beaucoup

D'avoir de mon gosier retiré votre cou ?

Allez, vous êtes une ingrate :

Ne tombez jamais sous ma patte.

Le cygne et le cuisinier

Dans une ménagerie

De volatiles remplie

Vivaient le cygne et l'oison :

Celui-là destiné pour les regards du maître,

Celui-ci pour son goût ; l'un qui se piquait d'être

Commensal du jardin, l'autre de la maison.

Des fossés du château faisant leurs galeries,

Tantôt on les eût vus côté à côte nager,

Tantôt courir sur l'onde, et tantôt se plonger,

Sans pouvoir satisfaire à leurs vaines envies.

Un jour le cuisinier, ayant trop bu d'un coup,

Prit pour oison le cygne, et le tenant au cou,

Il allait l'égorger, puis le mettre en potage.

L'oiseau, prêt à mourir, se plaint en son ramage.

Le cuisinier fut fort surpris

Et vit bien qu'il s'était mépris.

Quoi ! Je mettrais, dit-il, *un tel chanteur en soupe ?*

Non, non, ne plaise aux dieux que jamais

ma main coupe

La gorge à qui s'en sert si bien !

Ainsi, dans les dangers qui nous suivent en croupe,

Le doux parler ne nuit de rien.

Le chat et un vieux rat

J'ai lu chez un conteur de fables

Qu'un second Rodilard, l'Alexandre des chats,

L'Attila, le fléau des rats,

Rendait ces derniers misérables.

J'ai lu, dis-je, en certain auteur,

Que ce chat exterminateur,

Vrai Cerbère, était craint une lieue à la ronde ;

Il voulait de souris dépeupler tout le monde.

Les planches qu'on suspend sur un léger appui,

La mort aux rats, les souricières,

N'étaient que jeux au prix de lui.

Comme il voit que dans leurs tanières

Les souris étaient prisonnières,

Qu'elles n'osaient sortir, qu'il avait beau chercher,

Le galant fait le mort, et du haut d'un plancher

Se pend la tête en bas. La bête scélérate

À de certains cordons se tenait par la patte.

Le peuple des souris croit que c'est châtiment,

Qu'il a fait un larcin de rôt ou de fromage,

Égratigné quelqu'un, causé quelque dommage,

Enfin qu'on a pendu le mauvais garnement.

Toutes, dis-je, unanimement

Se promettent de rire à son enterrement,

Mettent le nez à l'air, montrent un peu la tête,

Puis rentrent dans leurs nids à rats,

Puis, ressortant, font quatre pas,

Puis enfin se mettent en quête.

Mais voici bien une autre fête :

Le pendu ressuscite, et sur ses pieds tombant

Attrape les plus paresseuses.

Nous en savons plus d'un, dit-il en les gobant :

C'est tour de vieille guerre, et vos cavernes creuses

Ne vous sauveront pas, je vous en avertis ;

Vous viendrez toutes au logis.

Il prophétisait vrai : notre maître Mitis*

Pour la seconde fois les trompe et les affine,

Blanchit sa robe, et s'enfarine,

Et de la sorte déguisé,

Se niche et se blottit dans une huche ouverte.

Ce fut à lui bien avisé :

La gent trotte-menu s'en vient chercher sa perte.

Un rat, sans plus, s'abstient d'aller flairer autour.

C'était un vieux routier : il savait plus d'un tour ;

Même il avait perdu sa queue à la bataille.

* *En latin, doux.*

Ce bloc enfariné ne me dit rien qui vaille,

S'écria-t-il de loin au général des chats.

Je soupçonne dessous encor quelque machine.

Rien ne te sert d'être farine,

Car, quand tu serais sac, je n'approcherais pas.

C'était bien dit à lui ; j'approuve sa prudence.

Il était expérimenté,

Et savait que la méfiance

Est mère de la sûreté.

Le lion amoureux

À Mademoiselle de Sévigné*

Sévigné de qui les attraits

Servent aux Grâces de modèle,

Et qui naquîtes toute belle,

À votre indifférence près,

Pourriez-vous être favorable

Aux jeux innocents d'une fable,

Et voir sans vous épouvanter

Un lion qu'amour sut dompter ?

Amour est un étrange maître.

Heureux qui peut ne le connaître

Que par récit, lui ni ses coups !

Quand on en parle devant vous,

Si la vérité vous offense,

La fable au moins se peut souffrir.

Celle-ci prend bien l'assurance

De venir à vos pieds s'offrir,

Par zèle et par reconnaissance.

---

* *Françoise-Marguerite de Sévigné, fille de la célèbre Madame de Sévigné. Elle épousa Monsieur de Grignan.*

Du temps que les bêtes parlaient,

Les lions, entre autres, voulaient

Être admis dans notre alliance.

Pourquoi non ? Puisque leur engeance

Valait la nôtre en ce temps-là,

Ayant courage, intelligence,

Et belle hure outre cela.

Voici comment il en alla.

Un lion de haut parentage,

En passant par un certain pré,

Rencontra bergère à son gré,

Il la demanda en mariage.

Le père aurait fort souhaité

Quelque gendre un peu moins terrible.

La donner lui semblait bien dur ;

La refuser n'était pas sûr ;

Même un refus eût fait possible

Qu'on eût vu quelque beau matin

Un mariage clandestin ;

Car outre qu'en toute manière

La belle était pour les gens fiers,

Fille se coiffe volontiers

D'amoureux à longue crinière.

Le père donc, ouvertement

N'osant renvoyer notre amant,

Lui dit : *Ma fille est délicate ;*

Vos griffes la pourront blesser,

Quand vous voudrez la caresser.

Permettez donc qu'à chaque patte,

On vous les rogne, et pour les dents,

Qu'on vous les lime en même temps.

Vos baisers en seront moins rudes,

Et pour vous plus délicieux ;

Car ma fille y répondra mieux,

Étant sans ces inquiétudes.

Le lion consent à cela,

Tant son âme était aveuglée.

Sans dents ni griffes le voilà

Comme place démantelée.

On lâcha sur lui quelques chiens,

Il fit fort peu de résistance.

Amour, amour, quand tu nous tiens,

On peut bien dire : Adieu prudence !

Le singe et le dauphin

C'était chez les Grecs un usage,

Que sur la mer tous voyageurs

Menaient avec eux en voyage

Singes et chiens de bateleurs.

Un navire en cet équipage

Non loin d'Athènes fit naufrage.

Sans les dauphins tout eût péri.

Cet animal est fort ami

De notre espèce ; en son Histoire

Pline le dit ; il faut le croire.

Il sauva donc tout ce qu'il put.

Même un singe, en cette occurrence,

Profitant de la ressemblance,

Lui pensa devoir son salut :

Un dauphin le prit pour un homme,

Et sur son dos le fit asseoir,

Si gravement qu'on eût cru voir

Ce chanteur que tant on renomme*.

* Arion, menacé par les matelots, fut sauvé par un dauphin
  qui l'avait entendu chanter.

Le dauphin l'allait mettre à bord,

Quand par hasard il lui demande :

Êtes-vous d'Athènes la grande ?

– Oui, dit l'autre, on m'y connaît fort.

S'il vous y survient quelque affaire,

Employez-moi ; car mes parents

Y tiennent tous les premiers rangs ;

Un mien cousin est juge maire.

Le dauphin dit bien grand merci.

Et le Pirée** a part aussi

À l'honneur de votre présence ?

– Tous les jours : il est mon ami,

C'est une vieille connaissance.

Notre magot prit pour ce coup

Le nom d'un port pour un nom d'homme.

De telles gens il est beaucoup,

Qui prendraient Vaugirard pour Rome,

Et qui, caquetant au plus dru,

Parlent de tout et n'ont rien vu.

** *Port d'Athènes.*

Le dauphin rit, tourne la tête,

Et, le magot considéré,

Il s'aperçoit qu'il n'a tiré

Du fond des eaux rien qu'une bête.

Il l'y replonge, et va trouver

Quelque homme afin de le sauver.

Le chameau et
les bâtons flottants

Le premier qui vit un chameau

S'enfuit à cet objet nouveau ;

Le second approcha ; le troisième osa faire

Un licou pour le dromadaire.

L'accoutumance ainsi nous rend tout familier.

Ce qui nous paraissait terrible et singulier

S'apprivoise avec notre vue,

Quand ce vient à la continue.

Et puisque nous voici tombés sur ce sujet,

On avait mis des gens au guet,

Qui, voyant sur les eaux de loin certain objet,

Ne purent s'empêcher de dire

Que c'était un puissant navire.

Quelques moments après, l'objet devint brûlot,

Et puis nacelle, et puis ballot,

Enfin bâtons flottant sur l'onde.

J'en sais beaucoup de par le monde

À qui ceci conviendrait bien :

De loin c'est quelque chose, et de près ce n'est rien.

Le renard et le buste

Les grands, pour la plupart, sont masques de théâtre ;

Leur apparence impose au vulgaire idolâtre.

L'âne n'en sait juger que par ce qu'il en voit.

Le renard au contraire à fond les examine,

Les tourne de tout sens ; et quand il s'aperçoit

Que leur fait n'est que bonne mine,

Il leur applique un mot qu'un buste de héros

Lui fit dire fort à propos.

C'était un buste creux, et plus grand que nature.

Le renard, en louant l'effort de la sculpture,

Belle tête, dit-il, *mais de cervelle point.*

Combien de grands seigneurs sont bustes en ce point !

Le loup, la chèvre et le chevreau

La bique, allant remplir sa traînante mamelle,

Et paître l'herbe nouvelle,

Ferma sa porte au loquet,

Non sans dire à son biquet :

Gardez-vous sur votre vie

D'ouvrir, que l'on ne vous die

Pour enseigne et mot du guet :

"Foin du loup et de sa race !"

Comme elle disait ces mots,

Le loup, de fortune, passe.

Il les recueille à propos,

Et les garde en sa mémoire.

La bique, comme on peut croire,

N'avait pas vu le glouton.

Dès qu'il la voit partie, il contrefait son ton ;

Et, d'une voix papelarde,

Il demande qu'on ouvre, en disant : *Foin du loup !*

Et croyant entrer tout d'un coup.

Le biquet soupçonneux par la fente regarde.

Montrez-moi patte blanche,

ou je n'ouvrirai point,

S'écria-t-il d'abord. Patte blanche est un point

Chez les loups, comme on sait, rarement en usage.

Celui-ci, fort surpris d'entendre ce langage,

Comme il était venu s'en retourna chez soi.

Où serait le biquet s'il eût ajouté foi

Au mot du guet, que de fortune

Notre loup avait entendu ?

Deux sûretés valent mieux qu'une

Et le trop en cela ne fut jamais perdu.

Le pot de terre et le pot de fer

Le pot de fer proposa

Au pot de terre un voyage.

Celui-ci s'en excusa,

Disant qu'il ferait que sage

De garder le coin du feu :

Car il lui fallait si peu,

Si peu, que la moindre chose

De son débris serait cause.

Il n'en reviendrait morceau.

Pour vous, dit-il, *dont la peau*

Est plus dure que la mienne,

Je ne vois rien qui vous tienne.

–Nous vous mettrons à couvert,

Repartit le pot de fer.

Si quelque matière dure

Vous menace d'aventure,

Entre deux je passerai,

Et du coup vous sauverai.

Cette offre le persuade.

Pot de fer son camarade

Se met droit à ses côtés.

Mes gens s'en vont à trois pieds,

Clopin-clopant, comme ils peuvent,

L'un contre l'autre jetés

Au moindre hoquet* qu'ils treuvent.

Le pot de terre en souffre : il n'eut pas fait cent pas

Que par son compagnon il fut mis en éclats,

Sans qu'il eût lieu de se plaindre.

Ne nous associons qu'avecque nos égaux,

Ou bien il nous faudra craindre

Le destin d'un de ces pots.

---

* *À la moindre secousse.*

Le petit poisson et le pêcheur

Petit poisson deviendra grand,
Pourvu que Dieu lui prête vie.
Mais le lâcher en attendant,
Je tiens pour moi que c'est folie ;
Car de le rattraper il n'est pas trop certain.
Un carpeau qui n'était encore que fretin
Fut pris pas un pêcheur au bord d'une rivière.
Tout fait nombre, dit l'homme, *en voyant son butin ;*
Voilà commencement de chère et de festin ;
Mettons-le en notre gibecière.
Le pauvre carpillon lui dit en sa manière :
Que ferez-vous de moi ? Je ne saurais fournir
Au plus qu'une demi-bouchée.
Laissez-moi carpe devenir :
Je serai par vous repêchée.
Quelque gros partisan m'achètera bien cher,
Au lieu qu'il vous en faut chercher
Peut-être encor cent de ma taille
Pour faire un plat. Quel plat ? Croyez-moi : rien qui vaille.
– *Rien qui vaille ? Eh bien, soit,* repartit le pêcheur ;
Poisson, mon bel ami, qui faites le prêcheur,
Vous irez dans la poêle ; et vous avez beau dire,
Dès ce soir on vous fera frire.
Un Tiens vaut, ce dit-on, mieux que deux Tu l'auras.
L'un est sûr, l'autre ne l'est pas.

Le cheval et le loup

Un certain loup, dans la saison
Que les tièdes zéphyrs ont l'herbe rajeunie,
Et que les animaux quittent tous la maison
Pour s'en aller chercher leur vie,
Un loup, dis-je, au sortir des rigueurs de l'hiver,
Aperçut un cheval qu'on avait mis au vert.
Je laisse à penser quelle joie !
Bonne chasse, dit-il, *qui l'aurait à son croc !*
Eh ! que n'es-tu mouton ? car tu me serais hoc*,
Au lieu qu'il faut ruser pour avoir cette proie.
Rusons donc. Ainsi dit, il vient à pas comptés,
Se dit écolier d'Hippocrate ;
Qu'il connaît les vertus et les propriétés
De tous les simples de ces prés ;
Qu'il sait guérir, sans qu'il se flatte,
Toutes sortes de maux. Si dom coursier voulait
Ne point celer sa maladie,
Lui loup, gratis, le guérirait ;
Car le voir en cette prairie
Paître ainsi, sans être lié,
Témoignait quelque mal, selon la médecine.

---

* *Tu me serais assuré. Cette expression vient du jeu de cartes appelé "hoc".*

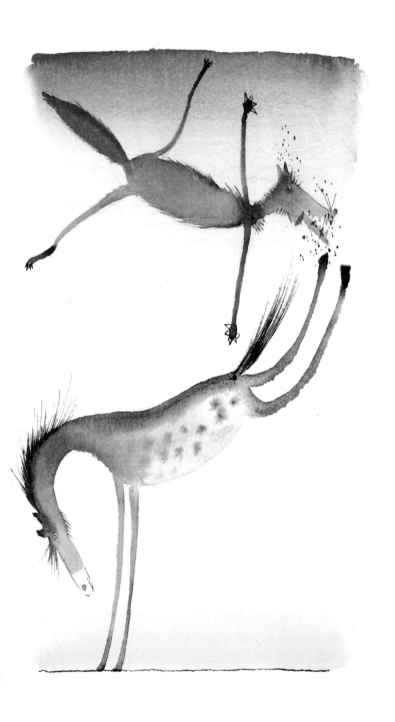

J'ai, dit la bête chevaline,

Un apostume sous le pied.

– Mon fils, dit le docteur, *il n'est point de partie*

Susceptible de tant de maux.

J'ai l'honneur de servir nos seigneurs les chevaux,

Et fais aussi la chirurgie.

Mon galant ne songeait qu'à bien prendre son temps,

Afin de happer son malade.

L'autre, qui s'en doutait, lui lâche une ruade,

Qui vous lui met en marmelade

Les mandibules et les dents.

C'est bien fait, dit le loup en soi-même, fort triste :

Chacun à son métier doit toujours s'attacher.

Tu veux faire ici l'arboriste,*

Et ne fus jamais que boucher.

---

* *On disait alors arboriste comme herboriste.*

La poule aux œufs d'or

L'avarice perd tout en voulant tout gagner.

Je ne veux, pour le témoigner,

Que celui dont la poule, à ce que dit la fable,

Pondait tous les jours un œuf d'or.

Il crut que dans son corps elle avait un trésor.

Il la tua, l'ouvrit, et la trouva semblable

À celles dont les œufs ne lui rapportaient rien,

S'étant lui-même ôté le plus beau de son bien.

Belle leçon pour les gens chiches !

Pendant ces derniers temps, combien en a-t-on vus

Qui du soir au matin sont pauvres devenus

Pour vouloir trop tôt être riches !

L'aigle et le hibou

L'aigle et le chat-huant leurs querelles cessèrent,

Et firent tant qu'ils s'embrassèrent.

L'un jura foi de roi, l'autre foi de hibou,

Qu'ils ne se goberaient leurs petits peu ni prou.

Connaissez-vous les miens ? dit l'oiseau de Minerve.

– *Non*, dit l'aigle. – *Tant pis*, reprit le triste oiseau.

Je crains en ce cas pour leur peau :

C'est hasard si je les conserve.

Comme vous êtes roi, vous ne considérez

Qui ni quoi : rois et dieux mettent, quoi qu'on leur die,

Tout en même catégorie ?

Adieu mes nourrissons, si vous les rencontrez.

– *Peignez-les-moi*, dit l'aigle, *ou bien me les montrez.*

Je n'y toucherai de ma vie.

Le hibou repartit : *Mes petits sont mignons,*

Beaux, bien faits, et jolis sur tous leurs compagnons.

Vous les reconnaîtrez sans peine à cette marque.

N'allez pas l'oublier ; retenez-la si bien

Que chez moi la maudite Parque

N'entre point par votre moyen.

Il advint qu'au hibou Dieu donna géniture,

De façon qu'un beau soir qu'il était en pâture,

Notre aigle aperçut d'aventure,

Dans les coins d'une roche dure,

Ou dans les trous d'une masure

(Je ne sais pas lequel des deux),

De petits monstres fort hideux,

Rechignés, un air triste, une voix de Mégère.

Ces enfants ne sont pas, dit l'aigle, *à notre ami :*

Croquons-les. Le galant n'en fit pas à demi.

Ses repas ne sont point repas à la légère.

Le hibou de retour ne trouve que les pieds

De ses chers nourrissons, hélas ! pour toute chose.

Il se plaint, et les dieux sont par lui suppliés

De punir le brigand qui de son deuil est cause.

Quelqu'un lui dit alors : *N'en accuse que toi,*

Ou plutôt la commune loi,

Qui veut qu'on trouve son semblable

Beau, bien fait, et sur tous aimable.

Tu fis de tes enfants à l'aigle ce portrait :

En avaient-ils le moindre trait ?

L'ours et les deux compagnons

Deux compagnons pressés d'argent

À leur voisin fourreur vendirent

La peau d'un ours encor vivant,

Mais qu'ils tueraient bientôt, du moins à ce qu'ils dirent.

C'était le roi des ours au compte de ces gens.

Le marchand à sa peau devait faire fortune.

Elle garantirait des froids les plus cuisants.

On en pourrait fourrer plutôt deux robes qu'une.

Dindenaut* prisait moins ses moutons qu'eux leur ours :

Leur, à leur compte, et non à celui de la bête.

S'offrant de la livrer au plus tard dans deux jours,

Ils conviennent de prix, et se mettent en quête,

Trouvent l'ours qui s'avance, et vient vers eux au trot.

Voilà mes gens frappés comme d'un coup de foudre.

Le marché ne tint pas ; il fallut le résoudre :

D'intérêts contre l'ours, on n'en dit pas un mot.

* *Marchand de moutons, dans Rabelais.*

L'un des deux compagnons grimpe au faîte d'un arbre ;

L'autre, plus froid que n'est un marbre,

Se couche sur le nez, fait le mort, tient son vent,

Ayant quelque part ouï dire

Que l'ours s'acharne peu souvent

Sur un corps qui ne vit, ne meut, ni ne respire.

Seigneur ours, comme un sot, donna dans ce panneau.

Il voit ce corps gisant, le croit privé de vie

Et de peur de supercherie

Le tourne, le retourne, approche son museau,

Flaire aux passages de l'haleine.

C'est, dit-il, *un cadavre* ; *ôtons-nous, car il sent.*

À ces mots, l'ours s'en va dans la forêt prochaine.

L'un de nos deux marchands de son arbre descend,

Court à son compagnon, lui dit que c'est merveille

Qu'il n'ait eu seulement que la peur pour tout mal.

Eh bien, ajouta-t-il, *la peau de l'animal ?*

Mais que t'a-t-il dit à l'oreille ?

Car il s'approchait de bien près,

Te retournant avec sa serre.

– Il m'a dit qu'il ne faut jamais

Vendre la peau de l'ours qu'on ne l'ait mis par terre.

Le lièvre et la tortue

Rien ne sert de courir ; il faut partir à point.

Le lièvre et la tortue en sont un témoignage.

Gageons, dit celle-ci, *que vous n'atteindrez point*

Sitôt que moi ce but. – Sitôt ? Êtes-vous sage ?

Repartit l'animal léger.

Ma commère, il vous faut purger

Avec quatre grains d'ellébore.

– Sage ou non, je parie encore.

Ainsi fut fait : et de tous deux

On mit près du but les enjeux.

Savoir quoi, ce n'est pas l'affaire,

Ni de quel juge l'on convint.

Notre lièvre n'avait que quatre pas à faire,

J'entends de ceux qu'il fait lorsque, prêt d'être atteint,

Il s'éloigne des chiens, les renvoie aux calendes,

Et leur fait arpenter les landes.

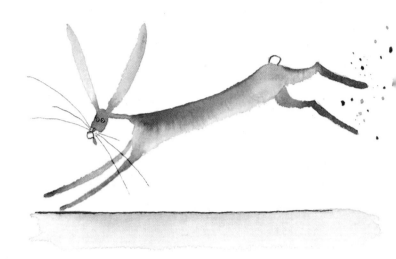

Ayant, dis-je du temps de reste pour brouter,

Pour dormir, et pour écouter

D'où vient le vent, il laisse la tortue

Aller son train de sénateur.

Elle part, elle s'évertue ;

Elle se hâte avec lenteur.

Lui cependant méprise une telle victoire,

Tient la gageure à peu de gloire,

Croit qu'il y va de son honneur

De partir tard. Il broute, il se repose,

Il s'amuse à toute autre chose

Qu'à la gageure. À la fin quand il vit

Que l'autre touchait presque au bout de la carrière,

Il partit comme un trait ; mais les élans qu'il fit

Furent vains : la tortue arriva la première.

Hé bien ! lui cria-t-elle, *avais-je pas raison ?*

De quoi vous sert votre vitesse ?

Moi, l'emporter ! Et que serait-ce

Si vous portiez une maison ?

Les animaux malades de la peste

Un mal qui répand la terreur,

Mal que le Ciel en sa fureur

Inventa pour punir les crimes de la terre,

La peste (puisqu'il faut l'appeler par son nom),

Capable d'enrichir en un jour l'Achéron,

Faisait aux animaux la guerre.

Ils ne mouraient pas tous, mais tous étaient frappés.

On n'en voyait point d'occupés

À chercher le soutien d'une mourante vie ;

Nul mets n'excitait leur envie.

Ni loups ni renards n'épiaient

La douce et innocente proie

Les tourterelles se fuyaient ;

Plus d'amour, partant plus de joie.

Le lion tint conseil, et dit : *Mes chers amis,*

Je crois que le Ciel a permis

Pour nos péchés cette infortune.

Que le plus coupable de nous

Se sacrifie aux traits du céleste courroux ;

Peut-être il obtiendra la guérison commune.

L'histoire nous apprend qu'en de tels accidents

On fait de pareils dévouements.

Ne nous flattons donc point, voyons sans indulgence
L'état de notre conscience.

Pour moi, satisfaisant mes appétits gloutons,
J'ai dévoré force moutons.

Que m'avaient-ils fait ? Nulle offense.
Même il m'est arrivé quelquefois de manger
Le berger.

Je me dévouerai donc, s'il le faut ; mais je pense
Qu'il est bon que chacun s'accuse ainsi que moi :
Car on doit souhaiter selon toute justice
Que le plus coupable périsse.

– **Sire**, dit le renard, *vous êtes trop bon roi ;*
Vos scrupules font voir trop de délicatesse ;
Eh bien ! manger moutons, canaille, sotte espèce,
Est-ce un péché ? Non, non : vous leur fîtes,
Seigneur,

En les croquant beaucoup d'honneur ;
Et quant au berger, l'on peut dire
Qu'il était digne de tous maux,
Étant de ces gens-là qui sur les animaux
Se font un chimérique empire.
Ainsi dit le renard, et flatteurs d'applaudir.

On n'osa trop approfondir

Du tigre, ni de l'ours, ni des autres puissances,

Les moins pardonnables offenses.

Tous les gens querelleurs, jusqu'aux simples mâtins,

Au dire de chacun étaient de petits saints.

L'âne vint à son tour et dit : *J'ai souvenance*

Qu'en un pré de moines passant,

La faim, l'occasion, l'herbe tendre, et, je pense,

Quelque diable aussi me poussant,

Je tondis de ce pré la largeur de ma langue.

Je n'en avais nul droit, puisqu'il faut parler net.

À ces mots, on cria haro sur le baudet.

Un loup quelque peu clerc prouva par sa harangue

Qu'il fallait dévouer ce maudit animal,

Ce pelé, ce galeux, d'où venait tout le mal.

Sa peccadille fut jugée un cas pendable.

Manger l'herbe d'autrui ! Quel crime abominable !

Rien que la mort n'était capable

D'expier son forfait : on le lui fit bien voir.

Selon que vous serez puissant ou misérable,

Les jugements de cour vous rendront blanc ou noir.

Les deux coqs

Deux coqs vivaient en paix ; une poule survint,
Et voilà la guerre allumée.
Amour, tu perdis Troie ; et c'est de toi que vint
Cette querelle envenimée
Où du sang des dieux même on vit le Xanthe teint.
Longtemps entre nos coqs le combat se maintint.
Le bruit s'en répandit par tout le voisinage.
La gent qui porte crête au spectacle accourut.
Plus d'une Hélène au beau plumage
Fut le prix du vainqueur. Le vaincu disparut.
Il alla se cacher au fond de sa retraite,
Pleura sa gloire et ses amours,
Ses amours qu'un rival tout fier de sa défaite
Possédait à ses yeux. Il voyait tous les jours
Cet objet rallumer sa haine et son courage.
Il aiguisait son bec, battait l'air et ses flancs,
Et, s'exerçant contre les vents,
S'armait d'une jalouse rage.

Il n'en eut pas besoin. Son vainqueur sur les toits

S'alla percher, et chanter sa victoire.

Un vautour entendit sa voix :

Adieu les amours et la gloire.

Tout cet orgueil périt sous l'ongle du vautour.

Enfin, par un fatal retour,

Son rival autour de la poule

S'en revint faire le coquet :

Je laisse à penser quel caquet,

Car il eut des femmes en foule.

La Fortune se plaît à faire de ces coups ;

Tout vainqueur insolent à sa perte travaille.

Défions-nous du sort, et prenons garde à nous

Après le gain d'une bataille.

Le rat et l'éléphant

Se croire un personnage est fort commun en France ;

On y fait l'homme d'importance,

Et l'on n'est souvent qu'un bourgeois.

C'est proprement le mal françois.

La sotte vanité nous est particulière.

Les Espagnols sont vains, mais d'une autre manière.

Leur orgueil me semble, en un mot,

Beaucoup plus fou, mais pas si sot.

Donnons quelque image du nôtre,

Qui sans doute en vaut bien un autre.

Un rat des plus petits voyait un éléphant

Des plus gros, et raillait le marcher un peu lent

De la bête de haut parage,

Qui marchait à gros équipage.

Sur l'animal à triple étage

Une sultane de renom,

Son chien, son chat et sa guenon,

Son perroquet, sa vieille, et toute sa maison,

S'en allait en pèlerinage.

Le rat s'étonnait que les gens

Fussent touchés de voir cette pesante masse :

Comme si d'occuper ou plus ou moins de place

Nous rendait, disait-il, *plus ou moins importants.*

Mais qu'admirez-vous tant en lui, vous autres hommes ?

Serait-ce ce grand corps qui fait peur aux enfants ?
Nous ne nous prisons pas, tout petits que nous sommes,
D'un grain moins que les éléphants.
Il en aurait dit davantage ;
Mais le chat, sortant de sa cage,
Lui fit voir en moins d'un instant
Qu'un rat n'est pas un éléphant.

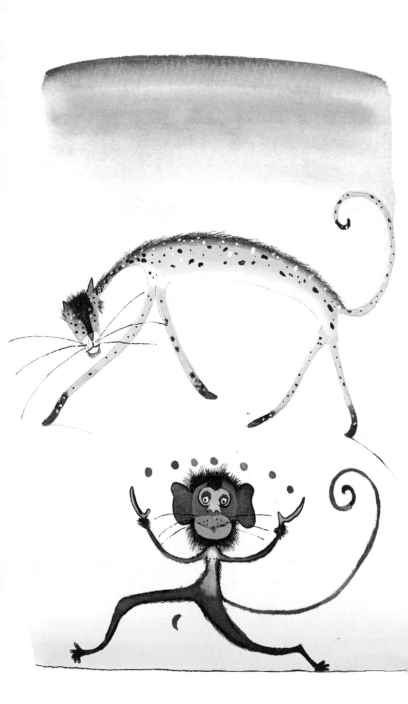

Le singe et le léopard

Le singe avec le léopard
Gagnaient de l'argent à la foire ;
Ils affichaient chacun à part.
L'un d'eux disait : *Messieurs, mon mérite et ma gloire*
Sont connus en bon lieu ; le roi m'a voulu voir ;
Et si je meurs, il veut avoir
Un manchon de ma peau, tant elle est bigarrée,
Pleine de taches, marquetée,
Et vergetée, et mouchetée.
La bigarrure plaît ; partant chacun le vit.
Mais ce fut bientôt fait, bientôt chacun sortit.
Le singe, de sa part, disait : *Venez, de grâce ;*
Venez, Messieurs. Je fais cent tours de passe-passe.
Cette diversité dont on vous parle tant,
Mon voisin léopard l'a sur soi seulement ;
Moi, je l'ai dans l'esprit : votre serviteur Gille,
Cousin et gendre de Bertrand,
Singe du pape en son vivant,
Tout fraîchement en cette ville
Arrive en trois bateaux, exprès pour vous parler ;

Car il parle, on l'entend ; il sait danser, baller,

Faire des tours de toute sorte,

Passer en des cerceaux ;

   et le tout pour six blancs !

Non, Messieurs, pour un sou ;

   si vous n'êtes contents,

Nous rendrons à chacun son argent à la porte.

Le singe avait raison : ce n'est pas sur l'habit

Que la diversité me plaît, c'est dans l'esprit.

L'une fournit toujours des choses agréables ;

L'autre, en moins d'un moment, lasse les regardants.

Ô ! Que de grands seigneurs, au léopard semblables,

N'ont que l'habit pour tous talents !

Le chat et le renard

Le chat et le renard, comme beaux petits saints,

S'en allaient en pèlerinage.

C'étaient deux vrais tartufes, deux archipatelins.

Deux francs patte-pelus, qui, des frais du voyage,

Croquant mainte volaille, escroquant maint fromage,

S'indemnisaient à qui mieux mieux.

Le chemin était long, et partant, ennuyeux,

Pour l'accourcir ils disputèrent.

La dispute est d'un grand secours ;

Sans elle on dormirait toujours.

Nos pèlerins s'égosillèrent.

Ayant bien disputé, l'on parla du prochain.

Le renard au chat dit enfin :

Tu prétends être fort habile :

En sais-tu tant que moi ? J'ai cent ruses au sac.

– Non, dit l'autre ; *je n'ai qu'un tour dans mon bissac,*

Mais je soutiens qu'il en vaut mille.

Eux de recommencer la dispute à l'envi.

Sur le que si, que non, tous deux étant ainsi,

Une meute apaisa la noise.

Le chat dit au renard : *Fouille en ton sac, ami :*

Cherche en ta cervelle matoise

Un stratagème sûr. Pour moi, voici le mien.

À ces mots, sur un arbre il grimpa bel et bien.

L'autre fit cent tours inutiles,

Entra dans cent terriers, mit cent fois en défaut

Tous les confrères de Brifaut.

Partout il tenta des asiles,

Et ce fut partout sans succès :

La fumée y pourvut ainsi que les bassets.

Au sortir d'un terrier, deux chiens aux pieds agiles

L'étranglèrent du premier bond.

Le trop d'expédients peut gâter une affaire ;

On perd du temps au choix, on tente, on veut tout faire.

N'en ayons qu'un, mais qu'il soit bon.

La tortue et les deux canards

Une tortue était, à la tête légère,

Qui, lasse de son trou, voulut voir le pays.

Volontiers on fait cas d'une terre étrangère ;

Volontiers gens boiteux haïssent le logis.

Deux canards, à qui la commère

Communiqua ce beau dessein,

Lui dirent qu'ils avaient de quoi la satisfaire :

Voyez-vous ce large chemin ?

Nous vous voiturerons par l'air en Amérique,

Vous verrez mainte république,

Maint royaume, maint peuple, et vous profiterez

Des différentes mœurs que vous remarquerez.

Ulysse en fit autant. On ne s'attendait guère

De voir Ulysse en cette affaire.

La tortue écouta la proposition.

Marché fait, les oiseaux forgent une machine

Pour transporter la pèlerine.

Dans la gueule, en travers, on lui passe un bâton.

Serrez bien, dirent-ils ; *gardez de lâcher prise ;*

Puis chaque canard prend ce bâton par un bout.

La tortue enlevée, on s'étonne partout

De voir aller en cette guise

L'animal lent et sa maison,

Justement au milieu de l'un et l'autre oison.

Miracle ! criait-on. *Venez voir dans les nues*

Passer la reine des tortues.

– La reine ! Vraiment oui. Je la suis en effet ;

Ne vous en moquez point.

Elle eût beaucoup mieux fait

De passer son chemin sans dire aucune chose :

Car, lâchant le bâton en desserrant les dents,

Elle tombe, elle crève aux pieds des regardants.

Son indiscrétion de sa perte fut cause.

Imprudence, babil, et sotte vanité,

Et vaine curiosité,

Ont ensemble étroit parentage ;

Ce sont enfants tous d'un lignage.

Le vieux chat et la jeune souris

Une jeune souris de peu d'expérience
Crut fléchir un vieux chat, implorant sa clémence
Et payant de raisons le Raminagrobis :
Laissez-moi vivre : une souris
De ma taille et de ma dépense
Est-elle à charge en ce logis ?
Affamerais-je, à votre avis,
L'hôte, l'hôtesse, et tout leur monde ?
D'un grain de blé je me nourris ;
Une noix me rend toute ronde.
À présent je suis maigre ; attendez quelque temps ;
Réservez ce repas à messieurs vos enfants.
Ainsi parlait au chat la souris attrapée.
L'autre lui dit : *Tu t'es trompée.*
Est-ce à moi que l'on tient de semblables discours ?
Tu gagnerais autant de parler à des sourds.
Chat, et vieux, pardonner ? Cela n'arrive guère.
Selon ces lois, descends là-bas,
Meurs, et va-t'en, tout de ce pas,
Haranguer les sœurs filandières.
Mes enfants trouveront assez d'autres repas.
Il tint parole. Et, pour ma fable,
Voici le sens moral qui peut y convenir :
La jeunesse se flatte et croit tout obtenir ;
La vieillesse est impitoyable.

Réalisé par l'atelier graphique de La Renaissance du Livre sous la
direction de Isabelle Gérard.

Achevé d'imprimer en août 2001
par l'Imprimerie Floch/London (Paris).
Dépôt légal : août 2001 ; D/2001/8176/322
N° d'impression : 29570
Imprimé en France.